라이프
스타일
큐 티

최 민 기

라이프스타일 큐티

발   행 | 2024년 07월 08일
저   자 | 최민기
펴낸이 | 한건희
펴낸곳 | 주식회사 부크크
출판사등록 | 2014.07.15(제 2014-16호)
주   소 | 서울 금천구 가산디지털 1로 119, SK트윈타워 A동 305호
전   화 | 1670-8316
이메일 | info@bookk.co.kr

ISBN | 979-11-410-9387-7

www..co.kr

라이프
스타일
큐　티

최민기 목사/선교사

라이프스타일큐티 전문강사(큐티학교, 세미나)
대한예수교장로회(백석) 목사 및 파송선교사
중남미 과테말라 선교사 [SEED선교회 소속]
세계한인재단(WKF) 과테말라 지도목사
미국 Azusa Pacific Univ. M.div
ICMS졸업 (캐나다, 선교사학교)
선교학박사(D.Miss) Candidate
이민신학연구소/월드디아스포라포럼(WDF) 사무국장
한국교회, 미국이민교회 목회
미주우리기독교방송 "큐티플러스" 방송진행
유튜브 "성경탐구" 채널운영 youtube.com/@qtplus
『진심이 열심을 이긴다』 저자

| 차례 |

머리말

"큐티"는 지금까지 목회와 선교의 중심이 되는 사역이었다. 그뿐만 아니라 바른 신앙생활의 길잡이며, 복음전도의 방법이고, 제자양육의 틀이다. 더 나아가 하나님과 바른 교제가 이루어지는 시간이고 말씀을 받는 공간이다. 큐티는 기도이자 찬양으로 드려지는 고백이다. 공동체로서 하나님 앞에 설 수 있는 모임이기도 하다. 그래서 기독교 용어 중에 "큐티"만큼 불분명하고 해석의 스펙트럼이 넓은 단어도 없다. 그렇다고 새로운 용어로 표현하자니 그 용어를 이해시키는데 더 많은 시간이 소요될 것이다. 그래서 그냥 "큐티"라는 단어를 사용하기로 했다.

하지만 세상에 난무하는 다양한 "큐티"와 구분하기 위해 이 사역의 정신을 담아 "라이프스타일"이라는 단어를 붙였다. 세상에는 하나님이 기뻐하시는 "라이프스타일"이 있다. 신앙생활이란 "라이프스타일"이 하나님이 기뻐하시는 방향으로 변화하는 과정이다.

따라서 라이프스타일큐티는 "라이프스타일"을 변화시키는 운동이다. 이 작은 운동들이 모여 종교개혁과 같은 역사의 큰 물결이 될 것을 믿는다. 자! 이제 이 파도에 함께 몸을 실어보자!

1부는 큐티가 라이프스타일이 되기까지의 이야기를 다루고, 2부에서는 "라이프스타일 큐티"의 교재를 담았다.
이 책을 통해 모두의 "라이프스타일"이 변화되길 소망한다.

제1부 라이프스타일 큐티 이야기

큐티이전의 신앙생활

나는 대학 때 회심하여 처음부터 뜨겁게 하나님을 사랑하고자 했다. 하지만 어떻게 신앙생활을 해야 하는지 구체적으로 알려주는 사람은 없었다. 교회에서는 예배에 잘 참석해야 한다고 하여 새벽예배, 수요예배, 금요기도회, 주일 낮예배, 오후예배, 기타 주중예배와 기도회에 참석하였다. 그뿐 아니라 대형교회나 초교파로 열리는 대규모 소규모 집회, 찬양집회 등도 빠지지 않고 참석하였다. 이렇게 많은 예배에 참석하는 것이 정신없이 바쁘게는 했지만 정말 예수님의 제자로 하나님의 뜻대로 사는 것의 전부인지 의심스러웠다.

그 다음으로 훈련을 받아야 한다고 해서 새가족 정착훈련부터 시작하여 청년모임, 성경공부, 제자훈련, 선교훈련, 성경통독, 성경파노라마, 교사훈련 등 좋은 프로그램이라는 프로그램은 다 찾아다니며 들었다. 그 다음에는 훈련받은 것으로 봉사를 해야 한다고 해서 초등부교사, 청년부회장, 찬양팀 리더, 남전도회, 선교회 행사, 단기선교부터 수십 가지를 섬겼으며, 급기야 작은 교회를 섬겨야 한다고 해서 당시 섬기던 대형교회에서 개척교회로 교회를 옮기기까지 하였다.

그것이 다가 아니었다. 무엇보다도 기도를 많이 해서 하나님 음성을 들어야만 진정한 제자가 된다고 해서 기도원에 올라가 밤새도록 기도하고, 또 시간을 정하여 보름간 금식하며 기도하였다. 하지만 '이렇게 열심을 다하는 것이 과연 신앙생활의 전부인가?' 라는 의구심은 사라지지 않았다.

　모든 것을 종합해 보았을 때, 하나님은 '말씀' 이시고 그 말씀대로 사는 것이 가장 제자다운 삶이라는 것이다. 그런데 어떤 말씀을 따라서 살아야 한다는 말인가? 그 당시 대부분의 설교는 예배 잘 드리고 교회를 위해 헌신 봉사하면 된다는 결론이었다. 이상하게도 어떤 본문의 설교를 들어도 결론은 더욱더 하나님께 열심으로 살아야 한다는 내용이었다. 예배, 기도, 헌금, 봉사 모두 전심을 다하고 있는데, 더 열심히 더 많이 더 추가해야 한다는 것이었다. 나는 하루하루 하나님의 말씀대로 살아가는 것이 무엇인지 고민하지 않을 수 없었다. 하루가 끝나고 잠을 청할 때 '내가 오늘은 말씀대로 살았는가? 하나님과 더 가까워졌는가?' 생각하면 그런 것 같지 않았다.

　이에 대한 해답이 바로 스스로 말씀을 읽고 묵상하는 '큐티' 였다.

처음큐티와 시행착오

처음에는 "매일성경"이라는 묵상지를 통해서 하루에 주어진 말씀을 묵상하면서 큐티를 시작하였다. 큐티는 한마디로 정의하기 어려운 용어이다. 어떤 목사님은 "큐티는 말씀을 깊이 생각하고 묵상하는 것이라"고 정의한다. 또 어떤 분은 "큐티는 말씀을 성경 순서대로 읽는 운동"이라고 정의한다. 큐티를 교회의 신앙프로그램으로 제공하는 교회가 있는가 하면, 큐티가 전부인 교회도 있다. 이것은 큐티가 각자의 삶에 어느 정도 영향력을 발휘하고 있는지에 따라 다르다고 할 수 있다.

처음 큐티를 시작할 때, 하루하루 주어지는 말씀이 있다는 것이 좋았다. 주일에 정해진 본문을 읽고 설교로 듣는 시간도 있고, 성경통독을 통해 전체 성경을 읽을 수도 있었지만 '오늘하루!'
어떤 말씀을 붙잡고 살아야 하는지는 묘연했기 때문이다. 물론 새벽예배가 있었지만 새벽설교의 본문이 '나를 위해 하나님이 주신 편지'처럼 느껴지지는 않았다. 하지만 큐티로 주어지는 본문은 매일매일 하나님이 '나'에게만 보내시는 편지처럼 느껴졌다. "성경은 하나님의 연애편지이다"(부록2 참조)라는 유명한 말처럼, 매일 편지를 받는 마음으로 말씀을 묵상했다.

그런데 문제는 시간이 지나면서 말씀으로 깊이 들어가지 못하고, 묵상지에 해석해 놓은 내용을 훑어보는 정도에 머문다는 것이었다. 본문에 깊이 있게 접근하지 못하다 보니 큐티조차도 다른 신앙의 행위처럼 점점 습관화 되어 가고 있었다. 정말 큐티가 말씀을 성경 순서대로 읽는 것 정도에 머무르는 것인가? 그렇다면 성경통독과 무슨 차이가 있는가? 성경공부와는 무엇이 다르단 말인가? 매일매일 순서대로 말씀을 읽기는 하지만 삶에 깊숙이 스며들어 말씀대로 사는 것까지는 나아가지 못한 것이다.

큐티는 매일매일 꾸준히 하는 운동이 맞다. 그런데 단순한 신앙 운동과는 전혀 다른 운동이다. 그럼 큐티는 어떤 운동인가? 큐티를 오랜 시간 해 보니 훗날 이에 대한 분명한 대답을 찾을 수 있었다.

종교를 뛰어넘어

예를 들어 종교개혁은 말씀으로 돌아가자는 "본질회복 운동"이었다. 이 운동으로 말미암아 개신교회는 태동하게 되었고, 하나님의 교회는 다시 한번 말씀의 부흥을 경험하게 된다. 그래서 종교개혁의 후예인 우리에게는 말씀으로 승리를 경험한 '말씀의 DNA'가 흐르고 있다. 큐티는 종교개혁의 정신과 비슷한 말씀으로 돌아가자는 "운동"이다. 그래서 큐티는 성경만 있다면 누구나 가능하고 이 운동을 통해 '라이프스타일'이 변화될 수 있는 것이다. 이 세상 모든 사람은 각자 살아가는 라이프스타일이 있다. 신앙생활은 본질적으로 라이프스타일이 변하는 것이다. 애굽의 라이프스타일이 가나안의 라이프스타일로! 세상을 즐기는 라이프스타일에서 하나님을 기뻐하는 라이프스타일! 변하는 것이다. 근본적으로 라이프스타일이 변하지 않는 신앙의 열심은 종교행위를 벗어날 수 없다.

나는 해군에서 군복무를 했다. 2년 반 이상 새벽같이 일어나서 주어진 하루 과업을 끝내고 정해진 시간에 잠들었다. 그리고 그것이 완전히 몸에 익어 군대를 제대해도 규칙적인 생활이 평생 이어질 줄 알았다. 하지만 제대 후 몇 개월 만에 군에 가기 이전의 생활 습관으로 돌아가고 말았다. 다시 말해 라이프스타일이 변화되지 않은 것이다. 여기서 얻은 큰 교훈이 있다. 의

무감에서 또 누군가의 시선 때문에 한 일은 절대 라이프스타일을 변화시킬 수 없다는 것이다. 종교생활은 군대생활과 정확히 똑같다. 종교생활은 일정 기간 동안 신실해 보일 수 있다. 하지만 아무런 보상도 느껴지지 않고, 보는 눈도 사라지면 변질되기 마련이다. 예수님께서 이 땅에 오셨을 때 가장 예수님을 반대한 사람들이 종교인들이었다. 예수님이 선한 일을 해도 진리를 전해도 자신의 종교규칙에서 벗어나면, "왜 우리들처럼 하지 않냐"며 비난하기 시작했다. 또 자신의 종교행위에 문제점을 지적받는 것을 견디지 못해 했다. 성경은 하나님을 사랑하는 열심이 종교적 열심으로 변질되는 것을 가장 경계해야 한다고 말한다. 그래서 성경을 자세히 보면 '사탄'은 '종교의 영'임을 알 수 있다.

자칭 유대인이라 하는 자들의 비방도 알거니와 실상은 유대인이 아니요 사탄의 회당이라 (계시록2:9)

라이프스타일의 변화

그럼 하나님의 백성들은 구체적으로 어떤 라이프스타일로 살아가는가? 시대를 뛰어넘어 하나님 백성의 라이프스타일은 철저히 하나님의 말씀에 맞춰온 것이었다. 거기서 벗어나거나 변질되는 시대가 오면, 하나님께서는 말씀을 따르는 새로운 세대와 사람들을 일으키셨다. 한마디로 큐티는 개인적인 신앙운동으로 시작되지만, 그 결과는 제2, 3의 종교개혁운동으로 이어지는 개혁의 불씨가 되는 것이다.

결국 큐티는 라이프스타일이 변화되는 과정을 나누는 공동체운동이라고 할 수 있다. 작은 불씨가 큰 산을 태우듯이 라이프스타일큐티라는 "말씀회복운동"은 개인적인 신앙의 성장을 넘어, 가정과 교회, 공동체, 나아가 나라와 민족을 회복시키는 시작점이 될 것이다. 이제부터 "라이프스타일"이 변하는 이 큐티를 어떻게 하는지 구체적으로 알아보자.

라이프스타일큐티 프리뷰

.

　"라이프스타일큐티"는 말씀의 닫힌 문을 열고 들어가 그 말씀을 누리고 삶으로 살아내는 과정이다. 먼저 닫힌 문을 열고 들어가기 위해서는 몇 가지 과정이 필요하다.

1. 이미지리딩(image Reading)

　"라이프스타일큐티"는 성경은 읽는 것부터 시작된다. 세상에는 글을 읽는 수 많은 방법들이 있다. 속독, 정독부터 시작하여 영독이라고 불리는 렉시오디비나까지 다양하다.

　그 가운데 '이미지 리딩'은 본문을 그림 그리듯 읽는 것을 말한다. 마치 영화나 연극무대의 감독이 된 것 처럼 머릿속으로 장면 하나하나를 각인해 보는 것이다. "이미지 리딩"은 문자에 갇혀 있는 말씀이 살아 움직이는 "실제"로 바꾸는 과정이다.

　예전에 성경에서 영적인 인사이트(영감)를 발견하는 방법을 배우기 위해 존경하는 멘토 목사님을 찾아간 적이 있다.

　"목사님은 어떻게 성경 본문에서 하나님의 인사이트를 발견하시나요?"

　"50번이고 100번이고 발견할 때까지 읽어야지…"

간단하고 확실한 방법이었다. 하지만 목회자가 아닌 이상 이런 방법으로 매일 성경을 읽는 것은 어려운 일이다. 큐티는 제한된 시간 안에 마무리하고 그 말씀대로 하루를 살아야 하기 때문이다. 설령 시간이 많아 100번을 읽을 수 있다고 하더라도 어떤 경우는 많이 읽는 것 만으로는 다 이해할 수 없을 때도 있다. 그래서 하나님이 주신 지혜가 바로 "이미지리딩"이다.

이미지리딩은 무대에 올려진 말씀을 대하면서, 때론 청중이 되기도 하고, 감독이 되기도 하고 때로는 말씀 속에 등장하는 무리 중의 한명이 되기도 하여 그 무대와 하나가 되는 것이다.

자세한 방법은 2부 "라이프스타일큐티 교재"를 통해 알아보도록 하자.

2. 스토리텔링(Storytelling)

이미지리딩이 끝나면 두 번째로 본문을 스토리텔링한다. 많은 신앙훈련 프로그램에서 본문을 요약하는 훈련을 시킨다. 처음에는 본문을 요약하는 정도로 하는 것도 좋지만 조금 익숙해지고 나면 요약을 넘어 본문 말씀을 나의 것으로 만드는 과정이 필요하다. 그것이 스토리텔링이다.

스토리텔링은 나의 언어습관과 감정 등을 살려서, 본문을 내가 이해한 만큼 구어체로 재구성하는 것이다. 마치 자녀에게 재미있는 이야기를 들려주듯 하나님의 말씀을 전하는 것이다. 스토리텔링은 청중으로 하여금 몰입과 공감을 이끌어 내는 언어기법이다. 예수님 또한 최고의 스토리텔러이셨기에 우리도 이 방법으로 본문을 이야기해보는 것이다. 스토리텔링을 하면 본문이 '나를 향한 온전한 하나님의 말씀'이 된다.

자세한 내용은 2부 "라이프스타일큐티 교재"에 소개되어 있다.

3. 묵상(Meditation)

큐티에서 묵상은 가장 난해하고 어려운 부분이다. 수많은 묵상의 방법들이 있지만 "라이프스타일큐티"에서는 본문으로 질문하고 답하는 방법을 사용한다. 본문의 문장 1~3개 정도를 의문문(Why, How, What, When 등을 달아서)으로 바꾸는 것이다. 예를 들어, "예수님께서 가셨다"라는 부분이 나온다면 "왜 가셨나?, 어떻게 가셨나? 언제 가셨나?" 등으로 의미를 담아 의문문으로 만들고 스스로 답해 보는 것이다. 여기서 중요한 것은 최대한 본문에 나와 있는 단어나 문장을 이용해서 답하도록 한다. 만약 본문에 답의 단서가 없으면 본문의 앞뒤 문장에서 찾아보고, 거기에서도 답을 구하지 못하면 해당 책이나 성경전체에서 찾아본다. 거기에서도 답을 구할 수 없으면 신학적인 이해와 상식, 경험에서 답을 찾는다. 답이 없는 질문도 있을 수 있으니 부담을 갖지 말고 질문을 하면 된다. 질문과 답의 요령이 있다면 질문은 문맥을 담아서, 답은 의미를 담아서 하는 것이 좋다.

자세한 요령은 2부 "라이프스타일큐티 교재"에서 살펴보자.

4. 나눔과 적용(Sharing and Application)

나눔과 적용은 큐티의 꽃이라고 할 수 있다. 말씀 안에서의 나눔과 적용은 큐티를 더욱 풍성하게 만들어 준다. 하지만 무절제한 나눔과 적용은 본질을 회손하는 치명적인 독이 될 수도 있다. 따라서 나눔에는 많은 유익이 있지만 유의해야 할 사항도 있다. 자세한 내용은 2부 교재에서 알아보도록 하자.

다음은 적용이다. 먼저 적용이란 무엇인지 명확하게 정의하고 시작하는 것이 중요하다. 어떤 보수교단의 목사님은 '말씀을 적' 하지 말아야 ' 한다고 주장한다. 어떤 의미인지는 알 것 같다. 말씀을 삶에 적용하는 분은 성령하나님이신데 스스로 적용점을 찾아 자기열심으로 산다면 그것은 오히려 해가 된다는 것이다. 이 관점은 '적용'을 말씀의 '성취'로 보기 때문이다. 하지만 "라이프스타일 큐티"에서 말씀의 적용은 말씀의 '성취'가 아니라 "믿음의 행동"이다.

적용의 주체가 성령 하나님이신 것은 사실이다. 적용은 본질적으로 성령 하나님이 일상의 삶에서 말씀이 기억나게 하시고, 말씀을 따라 선택하게 하시고, 순종하며 살아가도록 인도하실 때 가능하다. 따라서 적용은 내 삶을 하나님께 얼마나 내어드리느냐에 달려있다. 그럼에도 스스로 적용점을 찾는 이유는 그 말씀이 내 안에 머물고, 그 말씀대로 믿고, 살고, 누리겠다는 신앙의 고백이자 믿음의 결단이다. 한마디로 적용은 말씀대로 살기 위한 성도의 몸부림이다. 구체적인 적용은 말씀이 내 안에 머물도록 하며, 일상의 삶에 그 말씀의 능력을 경험하려는 간절함이다. 하나님은 그 믿음에 기름을 부으시고 역사하신다.

적용을 돕는 여러 가지 방법들과 유의사항이 있다. 이 또한 2부 "라이프스타일큐티 교재"에서 자세히 알아보도록 할 것이다.

5. 말씀기도(prayer)

말씀으로 기도하는 것은 본문의 말씀이나 내용을 인용하여 기도하는 것이다. 예를 들어 시편은 대부분 기도문이다. 시편 본문의 중간중간에 나의 상태와 심령을 토로하면 온전한 말씀으로 기도하기가 되는 것이다.

오늘, 지금, 여기

나는 현재 선교사로 살면서, 성경 한 권만으로 오지에서 풍성한 삶을 살아야 할 뿐만 아니라 맡겨진 영혼들도 그렇게 살도록 인도해야 한다. 그런데 생각해 보면 선교사나 목회자 뿐만 아니라 모든 크리스천의 삶이 그러해야 한다. 평신도로 교회개척의 사명을 받을 수도 있다. 직장/가정 예배의 인도자로 부름을 받을 수 있다. 자녀가 있다면 우리는 100% 신앙 양육자로서의 사명이 주어진 것이다. 사회적으로 우리는 다음세대를 하나님의 백성으로 키워내야 하는 소명자들이다. 라이프스타일큐티는 그러한 영적인 실력을 갖추게 한다. 광야, 오지에서도 성경 한 권만으로 충분하다는 영적인 자신감으로 살아갈 수 있다.

최근 여러나라에서 "라이프스타일큐티"를 인도해 달라는 요청이 들어왔다. 한국에서부터 라이프스타일큐티는 나의 중심사역 중 하나였다. 하나님의 말씀에 붙들려서 살려고 하는 사람이 있다면 그곳이 한국이든 선교지든 섬겨야 한다는 감동이 있었다. 그래서 나는 전세계 어디서든 라이프스타일큐티 학교와 세미나를 진행한다. 어떤 교회는 코로나 이후 영적으로 갈급해 있던 성도들의 눈빛이 모두 살아있었다. 하나님께서는 말씀을 통해 디아스포라로 살며 아프고 힘들었던 그분의 백성들을 위로하셨다. 나는 디아스포라들의 갈급함을 통해 하나님 나라의 새로운 지평이 열리는 것을 보았다.

앞으로도 전 세계에 흩어진 디아스포라 교회에서 라이프스타일 큐티학교, 큐티세미나, 큐티모임을 이어갈 예정이다. 큐티는 개인적인 신앙생활 같지만, 눈에 보이지 않는 공동체 활동이다. 한국교회, 디아스포라교회, 선교지교회의 영혼들이 함께 한 시대를 말씀으로 살아가는 것이다.

얼마나 가슴 뛰는 일인가!

오늘도 모든 하나님의 사람들이 라이프스타일큐티를 통해 말씀의 깊이와 넓이와 높이를 경험하여 진정한 예수님의 제자로 함께하길 기도한다!

제2부 라이프스타일큐티 교재

목 차

"라이프스타일큐티"를 시작하는 모든 분을
축복합니다!

우리는 이제 라이프스타일을 바꾸려고 합니다!
"라이프스타일큐티"는 여러분들과 함께 새 시대를 여는 하나님의 놀라운 도구가 될 것입니다. "라이프스타일큐티"를 시작하면서 한 가지 부탁드리고 싶은 것은 어떤 모양으로든 삶의 방식을 바꾸는 것은 어려운 일입니다. 특히 큐티를 처음 접하시는 분들은 몇 번의 위기를 겪을 수도 있습니다.

하지만 약속드릴 수 있는 것은 한 두 주가 지나고,
라이프스타일큐티 하는 것이 익숙해지면, 하나님 말씀이
꿀송이처럼 달고 영혼이 건강해지는 것을 직접 체험하게 되실
것입니다.
한 두 번 찾아오는 고비를 반드시 이겨내시고 승리하시기
바랍니다. 주님의 은혜가 여러분들의 결단에 함께 하시기를
축원합니다.

[부록1 참조]

라이프스타일큐티 최민기 목사

※ 라이프스타일 큐티 자기소개 ※

이름 : _____

1. 이름이외에 가장 많이 불리는 호칭 : _____
1-1. 이름이외에 가장 듣고 싶은 호칭 : _____

2. 좋아하는 색깔 2개 : _____   _____

3. 내가 좋아하는 모양은?(순번매기기 우선순위 1,2,3,4)
   ○(   )   △(   )   □(   )   S(   )

4. 내가 좋아하는 원소는?(순번매기기 우선순위 1,2,3,4)
   바람/공기(   )   불(   )   물(   )   흙(   )

5. 나의 장점 3가지 : _____   _____   _____

6. 나의 단점 1가지 : _____

7. QT에 관해...(체크)

QT에 대해 전혀모른다(   )   QT 들어본 적 만 있다(   )
QT는 알지만 해 본적 없다(   ) QT 한두번 해 본적 있다(   )
QT정기적으로 꾸준히 하고 있다(   )QT 매일하고 있다(   )

8. QT학교를 통해 기대하는 바는? _____

9. QT학교를 하는 기간 동안 소망하는 기도제목

1과 라이프스타일 큐티 A to Z

1과 라이프스타일큐티 A to Z

1. 큐티란 무엇인가?

1) 전통적인 정의

> QT란 QuietTime의 약자로서 조용한 (   )과
> (   )에서 성경말씀을 통해 나를 향하신
> 하나님의 (   )을 듣고 묵상하며, 삶에 적용함으로써
> 변화와 (   )을 이루고자 하는 경건훈련입니다.

2) 라이프스타일큐티의 정의

> 라이프스타일큐티란 경건훈련을 넘어 나의 (   )을
> 바꾸는 것입니다.
>
> 라이프스타일큐티는 신앙의 본질을 회복하는 기독교
> (   )입니다.

2. 라이프스타일큐티의 유익

1) 나를 향한 하나님의 마음과 뜻을 ☐☐ 하게 된다.

2) 말씀을 통해 주님과 동행(인격적인 교제)하는 법을
   배운다.

3) 세상에서 겪게 되는 ☐☐과 핍박을 이길 힘을
   공급받는다.

4) 일상에서 ☐☐☐ 하나님의 인도를 받는다.

5) 영적인 치유와 성장이 동시에 일어난다.

6) 수동적이고 ☐☐☐인 신앙생활이 능동적이고
   적극적인 모습으로 변화된다 .(관념 -> 실제)

6) 오지에서도 "성경 하나로 풍성한 삶을 살 수 있다"는
   영적 ☐☐을 얻게 된다.

7) 다음세대를 하나님의 백성으로 키워낼 ☐☐을 갖추게
   된다.

3. 라이프스타일큐티 어떻게 할 것인가?

1) 시간과 장소를 선택하라

2) 준비하라 (큐티관련 말씀으로)

수 1:8 _____

시 1:2 _____

시 119:105 _____

시 119:18 _____

시 119:34 _____

요 14:21 _____

눅 24:32 _____

계시록 22:7 _____

3) <u>큐티하기 (5가지 핵심요소)</u>

4) ☐☐ 하라 (큐티의 성패는 삶에서 결정)

5) 간증하라 (공동체고백)

4. 라이프스타일큐티의 5가지 핵심요소

1) 이미지리딩(image Reading)

2) (Storytelling)

3) 묵상(Meditation)

4) ☐☐ (Sharing)과 적용(Application)

5) 말씀으로 기도 (Prayer with the Word of God)

5. 큐티가 다른 신앙훈련과 다른 점

1) 성경공부와 다른 점

2) 기도와 다른 점

3) 친교모임과 다른 점

4) 성경통독과 다른 점

2과 이미지리딩 / 큐티실습 1

2과 이미지리딩 / 큐티실습 1

1. 큐티에서 리딩(읽기)

큐티는 주어진 성경의 본문을 읽는 것에서 시작합니다. 매일 주어진 본문을 주의 깊게 읽는 것은 무엇보다 중요하지만 의외로 "읽기"를 등한시하는 경우가 많습니다. 왜냐하면 읽는 훈련이 되어 있지 않기 때문입니다.

2. 이미지 리딩(Image Reading)

우리에게 매일 주어지는 성경본문은 하나님이 "나에게" 주시는 특별한 말씀입니다. 그래서 본문을 읽을 때는 다른 글(신문, 잡지 등)를 읽는 것과는 근본적으로 달라야 합니다. 정독은 물론이고, 경건하고 거룩한 마음으로 □□ 하며 읽어야 합니다. 즉, 단순히 읽는 것에 그치는 것이 아니라 읽지만 하나님 말씀을 듣는 전인격적 리딩 방법이어야 합니다.

[부록2 참조] 성경은 하나님의 연애편지

다양한 독서의 방법이 있지만 라이프스타일큐티에서는 □□□ 리딩 방법을 사용합니다.

1) 이미지 리딩이란 무엇인가?

 이미지 리딩은 본문을 그림을 그리듯 읽는 것을 말합니다. 마치 영화감독이 된 것처럼 머릿속으로 장면 하나하나를 〔 〕 해 보는 것입니다.

 "이미지 리딩"은 문자에 갇혀 있는 말씀을 살아 움직이는 "실제"로 바꾸는 과정을 말합니다. 이미지 리딩에는 여러 가지 방법이 있지만 제한된 시간에 가장 큰 효과를 거두기 위해 "내 마음의 한 구절 찾기", "등장인물 찾기", "장소 알아차리기", "문단 나누기", "사건개요 작성", "제목 정하기"의 과정을 거치게 됩니다.

2) 내 마음의 한 구절 찾기

 이미지 리딩의 첫 번째 단계는 모든 생각과 관심을 집중하여, 눈으로 본문을 보고, 입으로 소리내어 읽으며, 귀로는 듣고, 마음으로는 그 뜻을 새기며 전인격적으로 본문 말씀을 읽는 것입니다. 이렇게 본문을 읽는 이유는 본문을 통해 하나님이 내게 주시는 아버지의 마음을 발견하기 위함입니다.

 본문을 2~3차례 읽은 뒤 잠시 묵상의 시간을 갖고, 주어진 본문에서 특별히 "지금, 이 장소에서" 의미 있게 다가오는 한 구절을 찾습니다. 그 구절을 다시 2~3차례 읽어봅니다. 내가 찾은 본문이 마음에 와 닿는 다면 그것을 "내 마음의 한구절"
로 정합니다.

3) 제목 정하기

마음에 와닿는 한 구절을 찾았다면 이제 본문 전체의 제목
을 정합니다. 제목은 전체 문맥을 담을 수 있는 단어나 문장 또
는 열쇠가 될 만한 문장이나 단어들로 정하는 것이 좋습니다.
가능하면 본문에 나온 단어를 사용하여 조합한 1~5어절 정도가
적당합니다. 단, 본문을 읽으면서 깨달은 점, 구호, 결론, 적용
등은 가급적 피하도록 합니다. 큐티를 하면서 제목이 바뀔수도
있으니 제목을 정하는데 너무 많은 시간을 허비할 필요는 없습
니다.

> * Tip 1 **본문 독서와 관찰의 요령**
> 1. 성령하나님이 말씀을 조명해 주시기를 기도하며 성령님과
>   함께 읽는다.
> 2. 하나님이 나에게 주시는 말씀이라는 믿음을 가지고 경청한다.
> 3. 타인의 목소리(ex 오디오)로 들음으로 이전에는 들리지 않았던
>   음성을 듣는다.

4) 등장인물, 장소 그리고 사건개요 작성

(1) 본문의 등장인물들을 한명씩 적어봅니다. 본문 속에 또
다른 이야기(비유, 액자구조 등)가 들어 있는 경우에도 이야기
속의 모든 등장인물을 다 찾아냅니다. 사람뿐만 아니라 영적인
존재나 동물, 식물도 찾아냅니다.

(2) 장소는 본문에서 시간과 장소를 알려주기도 하지만 때로는 예측해야 하거나 이전 본문들을 찾아보아야 발견할 수 있는 경우도 많습니다.

장소를 알아내야 본문의 [ ] 을 그려낼 수 있고 무대장식에 숨겨진 하나님의 의도를 발견할 수 있습니다.

(3) 사건개요 작성 : 육하원칙 (누가, 언제, 어디서, 무엇을, 어떻게, 왜) 중에서 [ ], [ ] 부분에 대한 서술이라고 볼 수 있습니다. "왜"를 제외하고 본문에서 특별히 중요한 부분을 강조할 수 있습니다.

3. 큐티와 함께 해야 하는 훈련

1) **내적훈련 : 소통**, 기도, 금식, 통독, 고백, [ ], 회개 등

2) **외적훈련 : 소통,** [ ], 섬김, 사랑실천, 나눔, 연합,
   겸손, 긍휼, 배려, 순종, 이타심, 진실함, 사회봉사,
   [ ] 실현, 약자돌봄, 청지기적 삶 등

3) **공동체 훈련 : 소통,** 예배와 성찬, 용서, 직분, 인도, 제자,
   성경강의, 모임, 회의, [ ], 성경적 사회운동 등

   [부록7 참고] 라이프스타일큐티 특강

<〈 큐티실습 1〉

_____ 〈요한복음 5:1~18〉

Ⅰ 이미지 리딩(Image Reading)

Ⅱ 말씀스토리텔링(Storytelling)

_____
_____
_____
_____
_____
_____
_____
_____

Ⅲ 말씀묵상(Meditation)

．＿＿＿＿＿＿＿＿＿＿＿＿＿＿＿＿＿＿＿＿＿？(　　절)

　　->

Ⅳ 말씀 나눔(Sharing)과 적용(Application)

➔ ＿＿＿＿＿＿＿＿＿＿＿＿＿＿＿＿＿＿＿＿＿＿＿＿

Ⅴ 말씀기도(Prayer with the Word of God)

_____ 〈마태복음 15:21~28〉

I 이미지 리딩(Image Reading)

```




```

II 말씀스토리텔링(Storytelling)

_____
_____
_____
_____
_____
_____
_____

Ⅲ 말씀묵상(Meditation)

．_____?(　　절)

　　-〉

Ⅳ 말씀 나눔(Sharing)과 적용(Application)

➔ ＿＿＿＿＿＿＿＿＿＿＿＿＿＿＿＿＿＿＿＿＿

Ⅴ 말씀기도(Prayer with the Word of God)

3과 스토리텔링

3과 스토리텔링

라이프스타일큐티의 두 번째 단계는 "스토리텔링"입니다. 스토리텔링은 말씀 요약을 넘어, 본문 말씀을 <u>나의 것</u>으로 만드는 과정입니다. 따라서 나의 언어습관과 감정 등을 살려서, 본문을 내가 이해한 만큼, 구어체로 재구성하는 것입니다. 마치 자녀에게 아주 재미있는 이야기를 들려주듯 하나님의 말씀을 전하는 것입니다.

1. 본문요약

1) 요약이란?

글에서 핵심 내용을 찾아 그 내용이 잘 드러나도록 짧게

하는 것입니다.

2) 본문요약의 방법

(1) 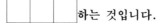를 찾는다.

(2) 중요한 내용과 그렇지 않은 내용으로 나눈다.

(3) 중요한 내용을 중심으로 내용들 사이의 관계가
    잘 드러나도록 글의 순서나 구성 요소를 재구성한다.

(4) 요약의 목적에 맞게 재구성되었는지 점검한다.

2. 스토리텔링(Storytelling)

1) 스토리텔링이란 무엇인가?

상대방에게 알리고자 하는 바를 재미있고 생생한

☐☐ 로 설득력 있게 전달하는 행위

2) 스토리텔링으로 본문을 재구성하는 이유

- 스스로 본문을 완전히 ☐☐ 하고 소화하기 위해
  (하나님의 의도와 뜻)

- 논리적인 설득보다도 ☐☐ 을 움직이는 힘이 강력해서

- 스토리텔링은 정보를 단순히 전달하는 것이 아니라 내용을
  쉽게 이해시키고, 기억하게 하며, 정서적 몰입과

  ☐☐ 을 이끌기 때문

- 할머니와 할아버지가 들려주시던 동화처럼 ☐☐
  효과가 뛰어나기 때문에

- 청중의 귀를 사로잡고 삶에 자연스럽게 녹아들기 때문에

- 하나님의 뜻을 재미가 있고, 널리 퍼트리기 위해

- [ ][ ][ ]께서 스토리텔러이셨기 때문에

3) 스토리텔링의 방법

(1) 본문을 읽고 머릿속으로 전체 내용을 그려본다.

(2) 등장인물과 사건, 장소, 시간, 배경 등의 관계를
[ ][ ][ ](mapping)한다.

(3) 서술할 내용의 [ ][ ]을 정한다.

(4) 모든 내용을 다 이야기 하려 하지 말고 [ ][ ]
내용에 집중한다. (살려야 할 내용과 뺄 내용을 결정)

(5) 핵심내용들이 잘 들어나도록 본문을 [ ][ ][ ]한다.

(6) 본문은 [ ][ ], 시간적·공간적 배경, 사건 등을
중심으로 구어체 (스토리텔링식)로 기록한다.

4) 스토리텔링 유의사항

(1) 없는 내용을 □□ 해서 만들어내지 않는다.

(2) 사건이나 인물을 □□ 또는 □□ 해석하지 않는다.

(3) 가급적 본문에서 사용한 단어를 그대로 사용한다.

(4) 자신의 글 쓰는 스타일을 살려서 쓴다.

(5) 내용을 장황하게 늘어놓지 말고 핵심 사건들을 짚어가듯 쓴다.

(6) 중복되는 내용이나 단어들은 과감히 □다.

(7) 내용을 효율적으로 전달하되 짧을수록 좋다.

[부록3] 스토리텔링기법 참고

4과 묵 상 / 큐티실습 2

4과 묵 상 / 큐티실습 2

큐티에서 묵상은 가장 중요한 부분이면서 가장 어려운 부분이 기도 합니다. 하지만 다양한 묵상법을 익히면 조금 더 깊이 말씀을 묵상할 수 있게 됩니다.

1. 라이프스타일큐티 묵상방법

1) □□으로 질문하고 답하기(Q&A)

(1) 본문 가운데 마음에 와 닿는 문장을 □□문으로

변화 시키기 -> 본문을 의문문으로(Why, How, What)

(2) 본문에 나와 있는 단어나 문장을 이용해서 질문에

답하기

(3) 본문에 답의 단서가 없으면 -> 본문의 앞뒤 □□

에서 찾기-> 해당 □에서 찾기 -> □□□□

에서 찾기 -> 신학적인 이해에서 답 찾기

```
* Tip 2 질문과 답하는 방법
 - 질문은 2~4개 정도가 적당함 (이미지리딩을 통해 문단이
   나눠졌으면, 한 문단에 하나씩 질문)
 - 질문은 문맥을 담아서, 답은 의미를 담아서
 - 틀린 답은 있어도 틀린 질문은 없음
```

2. 다른 묵상의 방법들

1) SPACE 방법(리차드포스터)

(1) Sin to confess - 자백해야 할 □

(2) Promises to claim - 붙잡을 □□

(3) Action to avoid - 피해야 할 □□

(4) Commands to obey - 순종해야 할 □□

(5) Examples to follow - 따라야 할 □□

2) 정해진 묵상질문을 이용하기

(1) 본문에 나타난 하나님은 어떤 분이신가?

(2) 본문에 나타난 하나님의 성품은 무엇인가?

(3) 본문에서 보여주신 하나님 역사의 원리는 무엇인가?

(4) 본문을 통해서 본 "나"는 어떤 사람인가?

(5) 본문의 핵심어를 넣어, 나의 "(핵심어)"는
   무엇인가?

(6) 본문에서 내게 지혜와 힘과 능력이 되는 말씀은?

(7) 본문을 통해 발견한 예수님의 모습은?

---

* Tip 3: 묵상과 명상의 차이
 명상은 마음을 비우는데 목적이 있지만, 묵상은
 내 마음을 말씀으로 채우는데 목적이 있음

---

3) 하워드 핸드릭스의 묵상법

(1) 말씀을 처음 대한다고 가정했을 때, 느낀 점은?

(2) 본문을 [   ] 편지로 보고 하나님 마음을 깨달을 것

(3) 계속해서 본문을 반복해서 읽으면서 드는 생각은?

(4) 본문을 분석하고 연구(사전, 주석 등) 하는 것

4) 기타 방법들(부록 3참고)

(1) 마음에 와 닿는 말씀을 기록하기

(2) 반복되는 단어, 자주 등장하는 인물 등에
   [   ] 하기

(3) 새롭게 깨달은 말씀 찾기

(4) 궁금하고 의문이 생기는 말씀 깊이 생각하기

(5) 감정적으로 반응이 오는 말씀에 응답하기

(6) 말씀을 통해 내 삶의 [|]들을 해석하기

(7) 하나님과 나 사이의 차이점이 얼마나 큰지 발견하기

3. 묵상이 잘 되지 않을 때

1) 숨은 [   ]가 자리하고 있을 때
   -> 진실한 회개기도를 먼저 할 것

2) 묵상의 동기가 잘못되었을 때(영적자랑, 외식, 습관 등)
   -> 솔직한 고백, [| |]의 의미를 떠올리며

3) 잡념과 [|]이 너무 많을 때
   -> 찬송, 주위환기, 환경을 바꿔줌, 잠깐의 휴식

4) 분노와 악한 생각이 떠오를 때(사탄의 방해)
   -> [| | |] 요청

5) 자기 내적 음성과 하나님의 음성이 헷갈릴 때
   -> [|]으로 검증/검토

6) 성경에 대한 지식이 너무 없을 때
   -> 다른 훈련들과 반드시 병행할 것

〈큐티실습 2〉

_____ 〈사도행전 1장 12~26〉

I 이미지 리딩(Image Reading)

```



```

II 말씀스토리텔링(Storytelling)

_____
_____
_____
_____
_____
_____
_____
_____

Ⅲ 말씀묵상(Meditation)

._____?(절)

   ->

Ⅳ 말씀 나눔(Sharing)과 적용(Application)

➜ ═══

Ⅴ 말씀기도(Prayer with the Word of God)

_____ 〈요한복음 4:3~24〉

I 이미지 리딩(Image Reading)

┌─────────────────────────────────┐
│   │
│   │
│   │
│   │
│   │
└─────────────────────────────────┘

II 말씀스토리텔링(Storytelling)

_____

_____

_____

_____

_____

_____

_____

_____

Ⅲ 말씀묵상(Meditation)

·_____?(절)

->

Ⅳ 말씀 나눔(Sharing)과 적용(Application)

Ⅴ 말씀기도(Prayer with the Word of God)

5과 나눔과 적용 / 큐티실습 3

5과 나눔과 적용 / 큐티실습 3

　나눔과 적용은 큐티의 꽃이라고 할 수 있습니다. 말씀 안에서의 나눔과 적용은 큐티를 더욱 풍성하게 만들어 줍니다. 하지만 무절제한 나눔과 적용은 본질을 회손하는 치명적인 독이 될 수도 있습니다.

1. 라이프스타일큐티의 나눔

1) 나눔의 유익

- 개인과 □□의 신앙이 성장한다.

- 큐티를 지속적으로 할 수 있는 □□가 된다.

- 말씀의 지혜를 모을 수 있다.

- 개인의 고백을 뛰어넘어 공동체 □□이 나온다.

- 다양한 말씀의 은혜를 경험하여 편협한 신앙생활에서 벗어날 수 있다.

- 모두가 자연스럽게 □□□ 사명자가 된다.

- 신앙의 □□□가 생긴다.

2. 나눔의 유의사항 (지켜야 할 기본적인 원칙들)

1) 나눌 때는 하나님 앞, 사람 앞에 ☐☐ 해야 합니다.

2) ☐☐ 에 이르는 나눔이 가장 능력이 있습니다.

3) 자기자랑은 공동체를 와해시킵니다.

4) ☐☐ 과 포용은 신앙성숙의 지표입니다.

5) 나눔에서는 100%맞고, 100%틀린 것은 없습니다.

6) ☐☐☐ 을 나눌 때 더욱 풍성한 은혜를 누릴 수 있습니다.

7) 나눔에 참여하는 모든 자가 타인을 존중하고, 남을 나보다 낮게 여길 때, 성령의 역사가 있습니다.

8) 결과를 나누지 말고 ☐☐ 을 나눕시다.

9) 자신의 ☐☐ 을 나눌 때, 나눔도 사역이 됩니다.

---

* Tip 4 : 나의 "고난"을 나누는 것의 의미

　"고난"은 나에게도 유익이지만, 같은 고난에 있는 남에게 유익이 된다. 나눔에서 고난은 좋은 주제가 되고, 성경은 고난을 해석하고 이겨나가는 교과서가 되고, 성령님은 바로 곁에서 도와주시는 스승이 되어주신다.
　- 믿음의 현주소는 "고난 중"에 나타난다.

---

3. 라이프스타일큐티 적용

적용은 말씀대로 살기 위한 성도의 몸부림입니다. 구체적인 적용은 말씀이 내 안에 머물도록 하여, 일상의 삶에 그 말씀의 능력을 경험하게 합니다.

하지만 적용의 주체는 [ ][ ][ ]이십니다.

적용은 본질적으로 성령 하나님이 일상의 삶에서 말씀이 기억나게 하시고, 말씀을 따라 선택하고 결정하게 하시고, 순종하며 살아가도록 인도하실 때 가능합니다. 따라서 적용은 내 삶을 하나님께 얼마나 내어드리느냐에 달려있습니다. 그럼에도 스스로 적용점을 찾는 이유는 그 말씀이 내 안에 머물고, 그 말씀대로 믿고, 살고, 누리겠다는 신앙의 [ ][ ]이자 믿음의 [ ][ ]인 것입니다. 하나님은 그 믿음에 기름을 부으시고 역사하십니다.

1) 적용요령 3P [부록8 웨스트민스터 주교 참고]
 * Personal(개인적인 적용) : 남에게 하지 말고 자신에게
 * Practical(실제적인 적용) : 실천적(구체적)
 * Possible(가능한 적용) : "내"가 할 수 있는 적용

2) 적용을 잘하려면 먼저 자신을 파악해야 함

(1) 개인적인 삶의 모습

- 건강상태(영,정신,육체) :

- 나의 기질과 성격 :

- 좋은 습관/나쁜습관 :

- 혼자 있을 때 주로 하는 일 / 취미 :

- 배우고 싶거나 해 보고 싶은 일 :

(2) 가정 내의 관계

- 부부간의 관계 :

- 자녀들과의 관계 :

- 부모님과의 관계 :

(3) 공동체 생활

- 신앙생활(봉사, 은사, 책임/의무, 목회자/성도간 관계) :

- 직장생활(동료관계, 성취도, 만족도, 자기개발) :

- 사회구성원(시민의무, 이웃관계) -

3) 적용을 돕는 질문

(1) 하나님께서는 이제 내가 어떻게 살기를 원하시는가?

(2) 이제 나에게 가치 있고, 의미 있는 삶이란 무엇인가?

(3) 내가 변화되어야 할 부분은 무엇인가?

(4) 본문을 통해 알게 된 "나"를 향한 하나님의 계획은?

(5) 본문을 통해 알게 된 "공동체(가정, 교회 등)"를
　　 향한 하나님의 인도하심은 무엇인가?

4) 적용에서 유의사항

(1) 적용은 말씀의 [　　　]이 아니라 말씀을 이루는

　　 [　　　]임을 기억하자 (과정을 소중히)

(2) 적용은 "나"에게 국한된 매우 "제한적 영역"입니다.

(3) 상대방의 적용에 대해서 가르치려 들지 말고,

　　 먼저 [　　]해야 합니다. (소통-> 공감-> 위로-> 처방)

(4) 적용의 목적은 ☐☐을 찾는 것 아니라 하나님의

☐☐를 기다리는 것임을 잊지 맙시다.

(5) 타인의 문제를 해결하거나 답을 제시하려고 하지 맙시다.

(6) ☐☐를 핑계로 타인의 비밀을 누설하지 맙시다.

(7) 예수님께서는 어떤 적용을 하셨을지 먼저 생각해 봅시다.

---

* Tip 5 : 나눔과 적용에 대해 처방원칙

- 처방은 되도록 같은 경험을 가진 사람이 하는 것이
  좋습니다.
- 이론적 정답은 처방이 될 수 없습니다. 공감이 처방의
  시작입니다.
- 처방의 기준은 "내 생각"이 아니라 "말씀"이
  되어야 합니다.
- 처방은 사랑을 싣고....
- 예수님이라면 어떻게 처방하셨을까? 생각하고 처방합니다.

_____ 〈누가복음 17:11~19〉

Ⅰ 이미지 리딩(Image Reading)

```


```

Ⅱ 말씀스토리텔링(Storytelling)

_____
_____
_____
_____
_____
_____
_____
_____

Ⅲ 말씀묵상(Meditation)

._____?(절)

->

Ⅳ 말씀 나눔(Sharing)과 적용(Application)

->_____

Ⅴ 말씀기도(Prayer with the Word of God)

_____ 〈누가복음 22:39-51〉

I 이미지 리딩(Image Reading)

II 말씀스토리텔링(Storytelling)

_____

_____

_____

_____

_____

_____

_____

_____

Ⅲ 말씀묵상(Meditation)

․_____?(절)

　->

Ⅳ 말씀 나눔(Sharing)과 적용(Application)

➔ _____

Ⅴ 말씀기도(Prayer with the Word of God)

6과 다음세대 큐티 / 큐티실습 4

6과 다음세대를 위한 큐티 / 큐티실습 4

〈다음세대 큐티의 예〉

MAY
21
목요일

제비를 뽑아(26절)

∝Next Generation(어린이/청소년)

사도행전 1장 12~26절 / 찬송 320장

12 그런 뒤에 사도들은 올리브 산을 떠나 예루살렘으로 돌아갔습니다. 올리브 산은 예루살렘에서 가까워 안식일에도 걸어갈 수 있는 거리였습니다. 13 그들은 예루살렘에 들어와서 그들이 묵고 있던 다락방으로 올라갔습니다. 다락방에 모인 사람들은 베드로와 요한, 야고보와안드레, 빌립과 도마, 바돌로매와 마태, 알패오의 아들 야고보와 열심당원 시몬, 그리고 야고보의 아들 유다였습니다. 14 이 사람들은 여자들과 예수님의 어머니 마리아와 예수님의 동생들과 함께 꾸준히 한마음으로 기도하였습니다. 15 며칠 후, 약 백이십 명쯤 되는 신자들이 한자리에 모였습니다. 베드로가 자리에서 일어나 말했습니다. 16 "형제 여러분, 성령께서 다윗을 통해 유다에 관해 말씀하신 것 중에, 유다가 예수님을 잡아간 사람들의 앞잡이가 될 것이라고 예언한 성경 말씀이 이루어졌습니다. 17 유다는 우리와 행동을 같이했던 사람이며, 우리처럼 사도직을 맡았던 사람이었습니다.

18 유다는 의롭지 못한 행동을 한 대가로 받은 돈으로 밭을 샀습니다. 그리고 바로 이 밭에서 거꾸로 떨어져 배가 터지고 창자가 밖으로 나온 채 죽었습니다. 19 예루살렘에 사는 사람이라면 누구나 이 소문을 들어 알고 있습니다. 그래서 사람들은 이 밭을 자기들 말로 '아겔다마'라고 부르고 있습니다. '아겔다마'란 '피의 밭'이란 뜻입니다. 20 시편에 다음과 같이 기록되어 있습니다. '그의 집을 폐허로 만들고 아무도 그 곳에 살지 못하게 하소서!' 또, 시편 다른 곳에는 '다른 사람이 그의 직책을 차지하게 하소서!'라고 기록되어 있습니다. 21 그러므로 주 예수님께서 우리와 함께 이곳 저곳을 다니시던 동안, 우리와 같이 다녔던 사람 중에서 한 사람을 뽑아야 하겠습니다. 22 뽑힐 사람은 요한이 사람들에게 세례를 주던 때부터 예수님께서 우리를 떠나 하늘로 올라가실 때까지 우리와 함께 있던 사람이어야 합니다. 그 사람은 우리와 함께 예수님의 부활을 증언하는 증인이 될 것입니다. 23 그러자 사람들은 유스도라고 알려져 있고 바사바라고도 불리는 요셉과 맛디아 두 사람을 추천했습니다. 24 그 때, 사도들은 "주님, 주님께서는 모든 사람의 마음을 아십니다. 주님께서는 이 두 사람 중 누구를 선택하셨습니까? 25 자기 직분을 떠나 자기가 원래 속했던 곳으로 간 유다를 대신해서 이 사도의 직분을 맡을 사람이 누구인지를 저희에게 보여 주십시오"라고 기도했습니다. 26 기도를 마친 후, 제비를 뽑아 보니 맛디아가뽑혔습니다. 이 때부터 맛디아는 다른 열한 사도와 함께 사도가 되었습니다..

| 부모님과 함께 말씀 "Storytelling"하기

예수님이 승천하신 후, 제자들은 주님의 명령에 따라 □□□□의 마가의 다락방에 머무르며 한마음으로 □□하였어요. 그때 베드로가 구약에 예언된 □□이 떠올라 가룻유다를 대신할 사도를 뽑자고 했어요. 예수님과 처음부터 마지막까지 함께 한 사람 중에 □□□와 □□이 후보에 올랐어요. 사람들은 기도하고 □□를 뽑아 맛디아를 열어 그가 열한 사도와 함께 사도가 되었어요.

Ⅱ 말씀을 "묵상(QT, 깊이 생각)" 하기 20150521

1. 왜 마음을 같이하여 기도에 힘썼나?(14절)
   한 마음으로 (아버지께서 약속하신 것을) 기다리려고(4, 14절)

2. 왜 가룟유다의 직무를 타인이 취하게 하였나?(20절)
   예언된 말씀을 이루려고(16, 20절)

3. 왜 제비 뽑아 맛디아를 얻었나?(26절)
   사람의 뜻을 따르지 않으려고(24절)

Ⅲ 말씀 "나눔" 하기 (어떻게 맛디아를 사도로 뽑았나?)

1. 가위바위보   2. 제비뽑기   3. 사다리타기

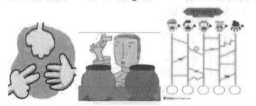

> ➔ 함께 기도했더니 베드로에게 말씀이 임했어요. 그래서 그 말씀대로 행하고자 제비를 뽑아 맛디아를 세웠어요. 말씀을 통해 깨달은 나에게 주신 사명은 무엇일까요? 현재 그 사명을 잘 감당하고 있나요?

Ⅳ 말씀따라 "적용" 하기

➔ 오늘 하루 적용할 다짐을 적어봅시다.

Ⅴ 말씀으로 "기도" 하기

> 하나님, 사도들은 자신의 뜻이 아니라 하나님의 뜻에 따르려고 기도하고 *제비를 뽑아 맛디아* 얻었어요. 저도 오늘 하루 어떤 일을 결정하든지 하나님의 뜻에 따르고 순종할 수 있도록 함께해 주세요.예수님 이름으로 기도합니다. 아멘.

_____ 〈 누가복음 19:1~10〉

Ⅰ 이미지 리딩(Image Reading)

```
┌─────────────────────────────────┐
│                                 │
│                                 │
│                                 │
│                                 │
│                                 │
│                                 │
│                                 │
└─────────────────────────────────┘
```

Ⅱ 말씀스토리텔링(Storytelling)

_____
_____
_____
_____
_____
_____
_____
_____
_____

Ⅲ 말씀묵상(Meditation)

    ·_____?(절)

    ->

Ⅳ 말씀 나눔(Sharing)과 적용(Application)

➔ ═══════════════════════════════════════

Ⅴ 말씀기도(Prayer with the Word of God)

<과제큐티 4>

_____ <마가복음 5:1~20>

I 이미지 리딩(Image Reading)

┌───┐
│   │
│   │
│   │
│   │
│   │
│   │
│   │
└───┘

II 말씀스토리텔링(Storytelling)

_____

_____

_____

_____

_____

_____

_____

_____

Ⅲ 말씀묵상(Meditation)

  •_____?(절)

   ->

Ⅳ 말씀 나눔(Sharing)과 적용(Application)

➔ ═══════════════════════════════════

Ⅴ 말씀기도(Prayer with the Word of God)

7과 그룹큐티 및 발표 / 큐티실습 5

7과 그룹큐티 및 발표 / 큐티실습 5

1. 그룹큐티

주어진 본문을 가지고,

2~3명씩 그룹을 만들어 하나의 큐티 만들기

< 인도자, 기도자, 찬송가1절, 독서자1,2,

나눔/적용 할 사람 등을 결정하여 그룹별 진행 발표 >

< 매 뉴 얼 >

* 큐티준비(성경, 교재, 필기구, 순서자 체크 등)
* 찬 송
* 기 도 [부록 9 회중기도 참고]

[5가지 핵심요소]

1) 본문읽기(이미지리딩)
   - 독서자 1, 독서자 2
2) 스토리텔링(Storytelling)
   - 인도자
3) ☐☐(Meditation)
   - 인도자
4) 나눔(Sharing)과 적용(Application)
   - 나눌사람 1, 2 - 적용할 사람 1, 2

5) 말씀(인용하여) 기도 - 인도자

* 주기도문 또는 마무리(축복) 기도

〈큐티실습5 - 그룹큐티〉

_____ 〈사도행전 8:26~39〉

I 이미지 리딩(Image Reading)

Ⅱ 말씀스토리텔링(Storytelling)

_____
_____
_____
_____
_____
_____
_____
_____

Ⅲ 말씀묵상(Meditation)

．_____?(절)

  ->

Ⅳ 말씀 나눔(Sharing)과 적용(Application)

➜ ＿＿＿＿＿＿＿＿＿＿＿＿＿＿＿＿＿＿＿＿＿＿＿＿＿

Ⅴ 말씀기도(Prayer with the Word of God)

2. 그룹큐티 발표

* 수고하셨습니다. 큐티! 라이프스타일이 될 때까지!
날마다 말씀에 헌신 된 예수님의 제자로 사시길 축복합니다.*
[부록6 설문지]를 작성해서 제출해 주세요.

<부록 1> 라이프스타일 큐티학교 수칙

목　적

* 하나님을 인격적으로 만나고 그분과 동행하는 삶을 산다.
* 날마다 스스로 큐티 할 수 있는 능력과 습관을 갖는다.
* 모든 세대를 양육할 수 있는 영적인 리더로 세운다.

기　간

* 매주 1회 모임(2~3시간), 총　주간

교　재

* 『라이프스타일큐티』,『개역개정 성경』이외에 다양한 역본

과　제

* 라이프스타일큐티학교/세미나 온라인 커뮤니티 가입 (카카오톡, 유투브, 밴드 등) -> 커뮤니티에 매일 주어진 본문의 "내 마음의 한구절", 일주일 1회 과제큐티 올리기 또는 서면제출

수　료

* 결석일수가 2회 미만
* 과제를 성실히 이행하신 분

당부사항

* 가능하면 5분전에는 도착해 주십시오.
* 부득이한 사정으로 늦게라도 꼭 오시기 바랍니다
* 본 교재의 저작권 준수사항을 잘 지켜주세요
* 간식은 자유롭게 가져와서 나누시면 됩니다.

〈부록 2〉 성경은 하나님의 연애편지

성경을 읽을 때에는, 하나님께서 성경을 읽는 모든 사람들에게 보내신 편지로 읽으십시오. 성경 책이 쓰여졌을 때, 하나님은 당신을마음에 두고 계셨습니다. 성경은 모든 사람을 위해 쓰여졌지만, 각 사람에게 보내진 개인적 편지이기도 합니다. 이것은 놀랍고도 분명 사실입니다.

성경이 본래 신실한 증인들이 하나님을 증거하는 방식과 형식을 통해 하나님께서 자신을 계시하신 것처럼,
성경의 메시지는 그 당시 사람들을 위해 쓴 것들을 하나님께서 지금 우리의 마음과 심령에 적용하시는 방식으로 밝히 알리고 계시는 것입니다. 그렇다면 우리 각자는 성경을 하나님의 연애 편지로 알고 읽어야 하며, 거기에 있는 모든 의미를 남김없이 알기 위해 쥐어짜듯 노력해야 합니다.

마치 이 세상에서 가장 사랑하는 사람으로부터 연애편지를 받았을 때 하듯 해야 합니다. 우리는 성경 매 페이지 위에 RSVP(회답요망)이라는 단어가 쓰인 것처럼 생각하고 성경을 읽어야 합니다. 그것은 마치 하나님께서 우리에게 이렇게 말씀하시는 것과 같습니다. "네가 읽고 있는 성경은 내가 너에게 보낸 연애편지란다. 내가 그 편지에서 말한 것들을 주의 깊게 읽고, 그것에 대해 나에게 회신을 하거라." 모든 연애편지는 답장을 요구하며, 성경도 예외가 아닙니다.

- 제임스 패커(리젠트대학교)

〈부록 3〉 스토리텔링 기법

＊ 스토리텔링의 기본적인 요소들과 구조

- 요　소 : 인물(Character), 배경(Back ground),
　　　　　사건(Problem), 플롯(Plot), 소재(Content),
　　　　　흐름(Context), 효과(Impact), 표현(Word)

- 구　조 : 캐릭터소개(Character)
　　　　　-> 문제상황(Problem/Situation)
　　　　　-> 행동(Action)
　　　　　-> 위기(Crisis)
　　　　　-> 해결책(Solution)
　　　　　-> 수정된 행동(Action)
　　　　　-> 결론(Result)
　　　　　-> 설득(Persuasion)

〈부록 4〉 큐티지 양식

_____ 〈   절〉

Ⅰ 이미지 리딩(Image Reading)

Ⅱ 말씀스토리텔링(Storytelling)

_____
_____
_____
_____
_____
_____
_____
_____

Ⅲ 말씀묵상(Meditation)

．＿＿＿＿＿＿＿＿＿＿＿＿＿＿＿＿＿?(절)

-〉

Ⅳ 말씀 나눔(Sharing)과 적용(Application)

➜ ＿＿＿＿＿＿＿＿＿＿＿＿＿＿＿＿＿＿

Ⅴ 말씀기도(Prayer with the Word of God)

〈부록 5〉 실습큐티1 예시

본 질 〈요한복음4:1~18〉
내 마음의 한구절 : 6절

I 이미지 리딩(Image Reading)

---------- 1문단 : 사건의 배경 ----------
1 그 후에 유대인의 명절이 되어 예수께서 예루살렘에 올라가시니라
2 예루살렘에 있는 양문 곁에 히브리 말로 베데스다라 하는 못이 있는데 거기
　행각 다섯이 있고
3 그 안에 많은 병자, 맹인, 다리 저는 사람, 혈기 마른 사람들이 누워
　[물의 움직임을 기다리니
4 이는 천사가 가끔 못에 내려와 물을 움직이게 하는데 움직인 후에 먼저
　들어가는 자는 어떤 병에 걸렸든지 낫게 됨이러라]
5 거기 서른여덟 해 된 병자가 있더라

---------- 2문단 : 병자와 예수님간의 대화 / 병자의 치유 ---
6 예수께서 그 누운 것을 보시고 병이 벌써 오래된 줄 아시고 이르시되
　<u>네가 낫고자 하느냐</u>
7 병자가 대답하되 주여 물이 움직일 때에 나를 못에 넣어 주는 사람이 없어
　내가 가는 동안에 다른 사람이 먼저 내려가나이다
8 예수께서 이르시되 일어나 네 자리를 들고 걸어가라 하시니
9 그 사람이 곧 나아서 자리를 들고 걸어가니라 이 날은 안식일이니

---------- 3문단 : 이 일을 본 유대인들의 반응 ----------
10 유대인들이 병 나은 사람에게 이르되 안식일인데 네가 자리를 들고 가는 것이
　옳지 아니하니라
11 대답하되 나를 낫게 한 그가 자리를 들고 걸어가라 하더라 하니
12 그들이 묻되 너에게 자리를 들고 걸어가라 한 사람이 누구냐 하되
13 고침을 받은 사람은 그가 누구인지 알지 못하니 이는 거기 사람이 많으므로
　예수께서 이미 피하셨음이라

---------- 4문단 : 성전에서 (예수님과 병자의 대화)----------
14 그 후에 예수께서 성전에서 그 사람을 만나 이르시되 보라 네가 나았으니
　더 심한 것이 생기지 않게 다시는 죄를 범하지 말라 하시니
15 그 사람이 유대인들에게 가서 자기를 고친 이는 예수라 하니라

----------5문단 : 예수님의 대답과 유대인들 반응 ----------
16 그러므로 안식일에 이러한 일을 행하신다 하여 유대인들이 예수를 박해하게
　된지라
17 <u>예수께서 그들에게 이르시되 내 아버지께서 이제까지 일하시니 나도 일한다</u>
　<u>하시매</u>
18 유대인들이 이로 말미암아 더욱 예수를 죽이고자 하니 이는 안식일을 범할
　뿐만 아니라 하나님을 자기의 친 아버지라 하여 자기를 하나님과 동등으로
　삼으심이러라

＊ 장　　소 : 예루살렘 성전 양문앞 베데스다 연못, 성전내

＊ 사건개요 : (무엇을, 어떻게) 예수님께서 38년된 병자를 "말씀"으로
　　　　　　　고치심과 그것을 본 유대인들의 반응과 예수님의 대답

＊ 핵심내용 : 여러 사람들의 신앙의 본질을 드러냄으로 우리의 신앙을
　　　　　　　점검하게 하심.

Ⅱ 말씀스토리텔링(Storytelling)

_ 명절이 되어 예수님께서는 예루살렘 성전으로 가셨습니다. 성전 앞 베데스다연못에는 많은 병자들이 있었는데 38년이나 된 병자도 있었어요. 그들은 천사가 연못에 내려올 때 가장 먼저 들어가 병을 고치려고 하염없이 기다리고 있었어요. 예수님께서 38년된 병자에게 "네가 낫고자 하느냐"라고 물었을 때, 그 병자는 자신을 물에 넣어주는 사람이 없어서 낫지 못하고 있다고 말했어요. 그러자 예수님은 "네 자기를 들고 걸어가"라는 말씀으로 고쳐주셨어요. 하지만 유대인들은 안식일에 짐 옮기는 일을 시켰다며 예수님을 핍박했어요. 예수님께서 안식일에 내 아버지께서 일하시니 나도 일한다 라고 말씀하시자, 유대인들은 하나님을 자신의 친 아버지라고 말했다며 예수님을 죽이기로 했습니다.

Ⅲ 말씀묵상(Meditation)

　1. 왜 예수님은 "네가 낫고자" 하느냐 라고 말씀하셨나?(6절)

　　-> 병자의 신앙의 본질을 드러내시려고

　2. 왜 네 자리를 들고 걸어가라고 하셨나?(8절)

　　-> 안식일의 본질을 드러내시려고

　 3. 왜 네가 나았으니 다시는 죄를 범하지 말라?(14절)

　　 -> 죄의 본질을 드러내시려고

　 4. 왜 아버지께서 일하시니 나도 일한다 하셨나?(17절)

　　 -> 유대인(종교인)들의 신앙의 본질을 드러내시려고

Ⅳ 말씀 나눔(Sharing)과 적용(Application)

1. 내 신앙의 본질은 온전한가? 은근히 사람 바라보고 미신적으로
   신앙생활 하고 있지는 않은가?

2. 나의 안식은 온전한가?

3. 내가 남 탓하고 있는 일은 무엇인가?

4. 나는 신앙인인가? 종교인인가?

적용 : 한주간 오직 주님만 바라보는 5분 기도를 매일 드리겠습니다.
      원망불평한 만큼 감사를 하겠습니다.
      매일 10가지 감사일지를 쓰겠습니다.
      남탓하던 아내/,남편에게 평생 당신탓만 한 것 미안하다고
      고백하겠습니다.
      동료들 진심으로 기도하며 간단한 선물을 준비하겠습니다.

Ⅴ 말씀기도(Prayer in the bible)

　하나님 오늘 큐티학교로 인도해 주셔서 감사합니다. 제가 시간 내서
온 것 같지만, 주님이 이 날을 작정하고 예비하셔서 인도해 주신 줄 믿
습니다. 오늘 큐티를 통해서 저의 신앙의 본질을 드러내 주셔서 감사합
니다. **"네가 이제 정말 낫고자 하느냐"**라는 말씀 속에서 주님의 책망
과 사랑을 동시에 느꼈습니다. 예수님의 제자라고 하면서 여전히 미신
에 사로잡혀 있고, 사람의 도움을 은근히 기대하며 살던 저의 위선을
깨뜨려 주시옵소서. 형식에 사로잡혀 남을 판단하고 비판했던 모든 안
식일의 삶을 정리하기 원합니다. 그 자리를 하나님의 사랑과 감사와 찬
양으로 채우겠습니다. 은혜를 주시옵소서.

　내가 성공하지 못하고, 내가 성장하지 못한, (진로, 연애, 결혼, 사업,
자녀양육 등) 이유를 전부 ,남탓을 하며 남에게서 이유를 찾아왔습니다.
그렇게라도 하지 않으면 견딜수 없고 제 자신이 무너질 것 같아서 그랬
습니다. 하지만 내 삶을 지탱하는 분이 예수님이심을 믿겠습니다. 제 무
거운 짐을 내려놓겠습니다. 주님을 더욱 의지하게 하옵소서.

　이번 주일부터 참 성도로 주일을 지키기 원합니다. 먼저 시간을 드리
고 마음을 드립니다. 사람살리는 주일되도록 그런 예수님 닮은 사람되
도록 함께 하여 주시옵소서. 예수님의 이름으로 기도합니다. 아멘.

〈부록 6〉 라이프스타일큐티 설문지

성 명: _____
(실명공개를 원치 않으시면 적지 않으셔도 됩니다)

1. 라이프스타일큐티를 하면서 좋았던 점

_____

_____

_____

2. 라이프스타일큐티에서 개선하여야 할 점 (시간, 교재, 강의, 장소,
   기간, 내용 등)

_____

_____

_____

3. 라이프스타일큐티를 마친 후에 인터뷰를 하게 되었습니다.
   "당신의 삶에 어떻게 도움이 되었습니까?"

_____

_____

_____

_____

4. 라이프스타일큐티를 다른 분에게 추천하시겠습니까?

　강력히 추천하겠다 (　　) 추천하겠다 (　　) 안 하겠다 (　　　)

5. 정기적으로 모이는 큐티모임이 있다면 출석할 의향이
　있으십니까?

　예 (　　　)　　　　　　　아니오 (　　　)

6. 라이프스타일큐티를 재수강 할 기회가 있다면 다시 듣고
　싶습니까?

　예 (　　　)　　　　　　　아니오 (　　　)

7. 라이프스타일큐티 리더쉽 과정이 있다면 수강하실 의향이
　있으십니까?

　예 (　　　)　　　　　　　아니오 (　　　)

감사합니다. 인도자에게 제출해 주시기 바랍니다.

<부록 7> 라이프스타일큐티 특강

라이프스타일큐티를 위한 성경 맥잡기

1. 복음이란 무엇이고, 성경 66권은 왜 모두 복음인가?

2. 시대와 장소를 알면 성경이 보인다

   1) 신약성경 시간순으로 정리(연대기)

   2) 예수님의 활동지도(성서지리)

   3) 예수님의 삶과 사역 개요(숲보기)

   4) 공생애는 왜 3년인가?(디딤돌 놓기)

   5) 예수님의 역사적 증거(변증)

   6) 사복음서 저자의 특징으로 이해하기(아는 만큼 보인다)

3. 신구약 중간기를 알아야 신약이 보인다(필수배경)

   1) 정 치   2) 제국의 식민통치방식   3) 유대교분파

4. 한눈에 보는 선교여행 (1,2,3차, 로마)

5. [성막 - 성전 - 회당]으로 이어지는 공간 메시지

〈부록 8〉 웨스트민스터 주교의 묘비글

내가 젊고 자유롭고 상상력이 풍부했을 때
세상을 변화시키겠다는 꿈을 가졌었다
그러나 더 나이가 들고 지혜를 얻었을 때
나는 세상이 변하지 않는다는 걸 알았다.
그래서 시야를 약간 좁혀
내가 사는 나라를 변화시키겠다고 결심했다
그러나 그것 역시 불가능한 일이었다.
황혼의 나이가 되었을 때
나는 마지막 시도로
가장 가까운 내 가족을 변화시키겠다고 마음을 정했다
아아, 그러나 아무 것도 달라지지 않았다.
이제 죽음을 맞는 시점에서 나는 문득 깨닫는다
만약 내가 내 자신을 먼저 변화시켰더라면
그것을 보고 내 가족이 변화되었을 텐데…
또한 그것에 용기를 얻어
내 나라도 좋게 변화시킬 수 있었을 텐데
그리고 누가 알겠는가?
이 세상까지도 변화되었을지!

<부록 9> 회중기도 인도하는 법

회중기도는 개인기도와는 다른다. 어느정도의 형식과 정도가 있다. 먼저 "회중기도(대표기도)"는 하나님께 드리는 예배의 일부로 경건한 마음과 준비가 필요하다.(문서화) 회중기도는 대략 2~3분 내외로 한다. 아래 내용에 대해 2~3줄 짧게 기록해 본다.

1. 나에게 하나님 아버지가 어떤 분인지 고백 (ex. 생명의 근원이신 하나님 아버지)
2. 한 주간의 삶 가운데 하나님의 은혜에 대한 감사
   (특별감사+범사감사)
3. 회개의 고백/긍휼히 여김을 받는 고백(지난 삶을 돌아보며)
4. 세계, 나라, 민족을 위한 기도 (국내외 소외된 사람들)
5. 교회를 위한 기도 (사역, 선교, 지체들)
6. 하나님의 말씀을 전하는 설교자를 위한 기도
7. 예배와 모임 가운데 하나님의 일하심에 대한 기대
8. "예수님의 이름"으로 마무리

● 유의사항
1. 서두에 "할렐루야", "본문낭독" 절대하지 말 것
   (하나님께 집중)
2. "다 같이 기도합시다", "처음시간이니 마치는
   시간까지..." 등의 불펼요한 표현을 줄일 것
3. "기도하옵나이다"(고어체), "기도했습니다"(과거형),
   "기도드립니다"(물건수수형)의 표현을 피하고
   "기도합니다"로 간결한 간구의 형태로 마무리 할 것
4. 자신의 생각, 사상, 지식 등이 나열되지 않도록 할 것

〈부록 10〉 관심갖기, 친구되기, 동역하기

〈 관심갖기 〉
최민기 목사/선교사
라이프스타일큐티 전문강사(큐티학교, 세미나)
대한예수교장로회(백석) 목사 및 파송선교사
중남미 과테말라 선교사 [SEED선교회 소속]
세계한인재단(WKF) 과테말라 지도목사
미국 Azusa Pacific Univ. M.div
ICMS졸업(캐나다, 선교사학교)
선교학박사(D.Miss) Candidate
이민신학연구소/월드디아스포라포럼(WDF) 사무국장
한국교회, 미국이민교회 목회
미주우리기독교방송 "큐티플러스" 방송진행
유튜브 "성경탐구" 채널운영 youtube.com/@qtplus
『진심이 열심을 이긴다』 저자

〈 친구되기 〉
홈페이지 : https://www.notion.so/thefish153
E-mail: thefish@daum.net (카카오톡ID: thefish)
연락처 502) 3007-0869(과테말라 최민기선교사)
[Youtube 채널] youtube.com/@qtplus

〈 동역하기 〉
1. 과테말라에 복음의 문이 닫히기 전에 한번 더 큰 부흥을 주옵소서
2. 성숙한 크리스천들이 일어나 과테말라 사회를 변혁하게 하옵소서
3. 과테말라에 다민족을 품고 중남미를 복음화할 영향력 있는
   교회가 세워지게 하옵소서
4. 과테말라 여성과 아이들의 사회적 권리와 교육이 신장되고
   성경적 세계관이 자리 잡도록
5. 카톨릭과 우상숭배 등의 견고한 진이 무너지며 복음의 일꾼들을
   보내주소서
6. 과테말라 교육선교, 교회개척, 큐티사역을 위해서
7. 선교사자녀들을 위해서

* **큐티사역 및 선교동역계좌**
농협(NH Bank) 302 4691 6787 01 최민기 목사/선교사